S0-BDL-431

瀬田貞二 作・林明子 絵

きょうはなんのひ?

福音館書店

　あさ、まみこは、げんかんをでるとき、
「おかあさん、きょうは　なんのひだか、
しってるの？　しーらないの、しらない
の、しらなきゃ　かいだん　三だんめ」
と、うたをうたって、スキップしながら、
がっこうへ　いってしまいました。

おかあさんは、すぐ、かいだんの
三だんめから　あかいひもをむすんだ
てがみを　みつけました。そこには、

ケーキのはこを
ごらんなさい

と、まみこのじで　かいてありました。

　いまの　ケーキのはこには、シュークリームのあいだに、あかいひものてがみが　はさんでありました。

　あけてみますと、

つぎはげんかん
かさたての
なか ②

　おかあさんは、いそいで、また　げんかんに　ひきかえしました。ふかいかさたての　つぼのそこに　あかいひもので　がみがありました。

こんどは わたしの
ほんのなかよ
ヒントは
いちばんすきな
えほんです③

「あら、あら、こんどは　二かいだわ」
　おかあさんには、まみこの　いちばんすきなえほんが　わかっていました。すぐ　二かいの　まみこのへやへ　いくと、ほんばこから「マドレーヌといぬ」をひきだしました。すると　やっぱり、「一ぴきのいぬが　とびこんで、マドレーヌを」というページの　あいだに、てがみがはさんでありました。

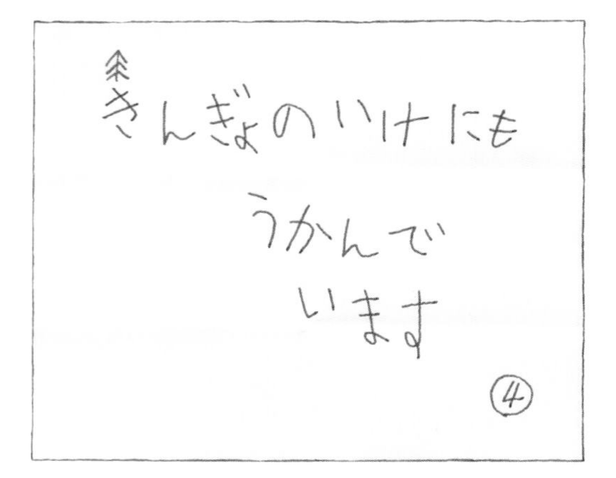
きんぎょのいけにも
うかんでいます
④

　おかあさんは、にわにでました。
きんぎょのいけに、ビニールぶくろ
にはいった　あかいひものてがみが、
きんぎょたちに　つつかれて、ぷか
ぷかういていました。

それには、

ねんどの ぶたが
くわえて
います
⑤

と、ありました。

　ねんどのぶたは、まみこのちょきんばこで、ミシンだいのそばに　おいてありますが、ちいさなてがみを　くちにはさんでいました。

びんは ガラスの
かびんです

　おうせつまの、おおきなガラスの　かびんには、きれいなはなが　いけてあって、そのくきに、てがみが　あかいひもで　ぶらさげてありました。

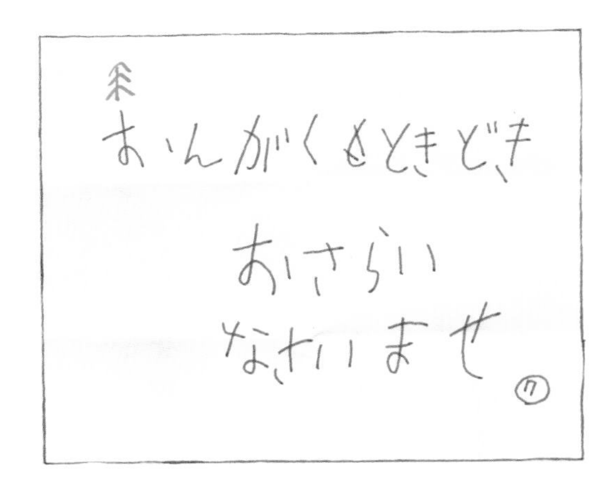

「おやおや、ごしんせつだこと。すっかり　くたびれちゃったから、ここらで一きょくひくのも　いいわね」

おかあさんは、ピアノのふたをあけて、そこに　あかいひものてがみを　みつけますと、てがみを　ピアノのうえにおいて、まみこのすきな　キラキラぼしをひきました。

それから、てがみをひらきますと、

めったにきがつか
ないところ
ヒント
そのくせ きまってつかう
ところよ ほら
⑧

これには　おかあさんも、さんざん
あたまをつかいましたが、わかりませ
ん。とうとう　あきらめて、いままで
のてがみを　まとめて、じょうさしに
さしこもうとしました。

すると、そこに、あかいひものてが
みが　さしてあったではありませんか。

「あーら、あのなぞは、じょうさしだ
ったのね。ほんとに　ここがいちばん
きがつかないわ」

おかあさんは、そのてがみを　ひら
きました。

でんわで　おとうさんの
ポケットのなか
きいてください
おねがい
⑨

　おかあさんは、「ちょうど　わたしも おでんわするところだったのよ」と　ひとりごとをいって　とけいをみあげました。いまごろなら、でんわしても　よさそうです。
「あなた、うわぎのポケットのなかに あかいひもをかけた　てがみが　はいっていませんか。まみこが　かいたものですが　よんでくださいな」
　でんわのむこうで　おとうさんの　おどろいたようなこえが　きこえました。「あ、あつた、あつた。なに、なに？

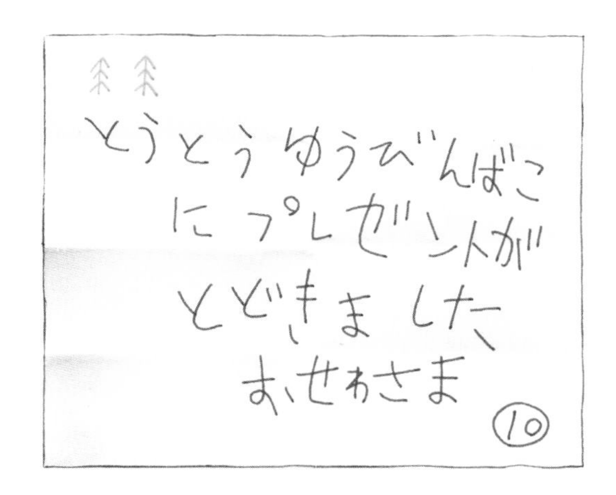
とうとうゆうびんばこ
にプレゼントが
とどきました、
おせわさま
⑩

なんだい　こりゃ」
　おかあさんは　わらってしまいました。
「かえってから、おはなししますわ。それより、あれ、わすれないでくださいね」「わすれっこないさ」　でんわのむこうで、こんどはおとうさんが　くすくすわらっていました。

　ゆうがた　おとうさんは、バスケットをさげて、かえってきました。おかあさんは　それをみて、おとうさんに　めくばせしましたが、まみこは、バスケットばかりみていて、それには　きがつきませんでした。

いまに　くつろいだ　おとうさんに、おかあさんは、ひるま、ゆうびんばこから　みつけだした　ちいさなこづつみを　さしだしました。しろいふうとうに　あかいひもをかけた　そのこづつみを、おとうさんがひらいてみますと、なかから、きれいな　おりがみのはこが　あらわれました。

　そのふたをとりますと、なかから、また、ひとまわりちいさい　こばこがでて、そのふたをとると、またこばこ……こうして、じゅんじゅんに　ちいさなはこがあらわれて、さいごの　十ばんめのはこには、ちいさなむらさきの　りゅうのひげの　たまと、ちいさなあかい　なんてんの　みが、ひとつずつ　はいっていました。

「むらさきずいしょう、おとうさん。あ

かいルビーが、おかあさん」と、まみこが　すましていいました。

「このはこも、まみこちゃんが　こしらえてくれたのね？」

「すてきなおくりものだな。どうもありがとう。それでは　こちらも……」と、おとうさんがいいかけたとき、かごのなかから、「ワン、ワン」と　なきごえがして、

おとうさんが　ふたをあけますと、むく
むくした　ちゃいろのこいぬが　あかい
ちいさいしたを　くちからのぞかせなが
ら、りょうあしを　かごのはしにかけて、
のびあがりました。
「こいぬをさしあげよう。かいしゃの
すずきくんのところで　うまれたのを、
わけてもらったんだよ」

　まみこは、もう　こいぬをだきあげて、ほおずりをしていました。こいぬは　まみこのほっぺたを　なめました。

「それにしても、まみこちゃんのてがみには、きりきりまいをさせられたわ。ほら、こんなにさがしまわって……」

と、おかあさんがおとうさんに、はなしをしていて、九（ここの）つのてがみを　みせますと、おとうさんも、さいごのてがみをだして　それにかさねました。

　こいぬに　ほおずりをしたままで、まみこは、うたいだしました。

「しーらないの、しらないの？　きょうはなんのひ　しらないの？　きのついたじを　かさねてごらん。てがみのなかのきのついたとこよ」

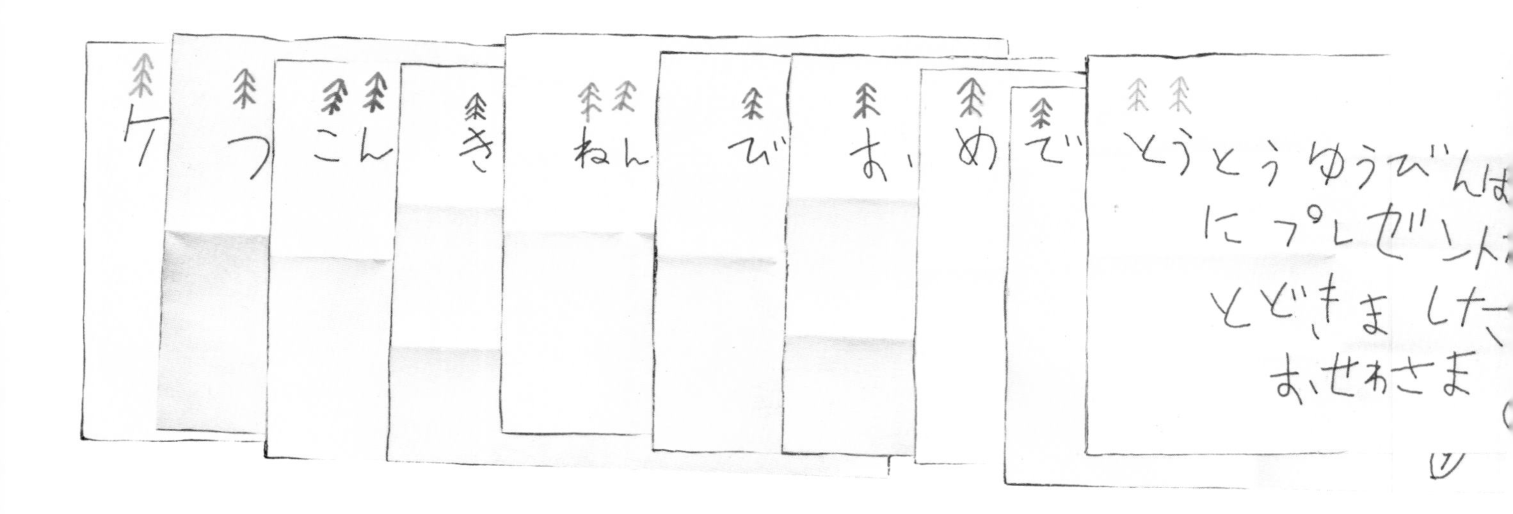

きょうは、おとうさんとおかあさんの、十(じゅう)どめのけっこんきねんび　だったのです。おとうさんとおかあさんは、ほんとうに　しらなかったのでしょうか。

きょうはなんのひ？　NDC 913　32p　25×21cm 
瀬田貞二・作／林 明子・絵
1979年8月10日発行　2005年7月1日　第73刷
発行所　株式会社 福音館書店　〒113-8686 東京都文京区本駒込6－6－3
電話　販売部（03）3942－1226／編集部（03）3942－9265　http://www.fukuinkan.co.jp/
印刷　精興社／製本　多田製本　ISBN4-8340-0752-9
WHAT DAY IS IT TODAY?